NINA STARDUST

Satoshi
Fukushima

星屑ニーナ

INDICE

CAPITOLO 1
NELLA VITA PRECEDENTE

* CITTÀ VIA LATTEA

GNIK
TIKI
TIKI
TIKI
TIKI
TIKI
...
TIKI
TIKI
TIKI
TIKI
...
BATTERIA RESIDUA
ALLA SOSPENSIONE
DI OGNI ATTIVITÀ
MANCANO
30 SEC.
RICARICARE
IN FRETTA!

BONK
GTSH
GTSH
GTSH
CLANK
CLANK
CLANK
SDENG
SDENG
CLANK
CLANK
CLANK
TIKI
TIKI
TIKI
TIKI
...
CLANK
CLANK
CLANK
CLANK
CLANK
MANCANO
15
SEC.

* VIETATO ABBANDONARE RIFIUTI, LA LEGGE PUNISCE I TRASGRESSORI. CITTÀ VIA LATTEA.

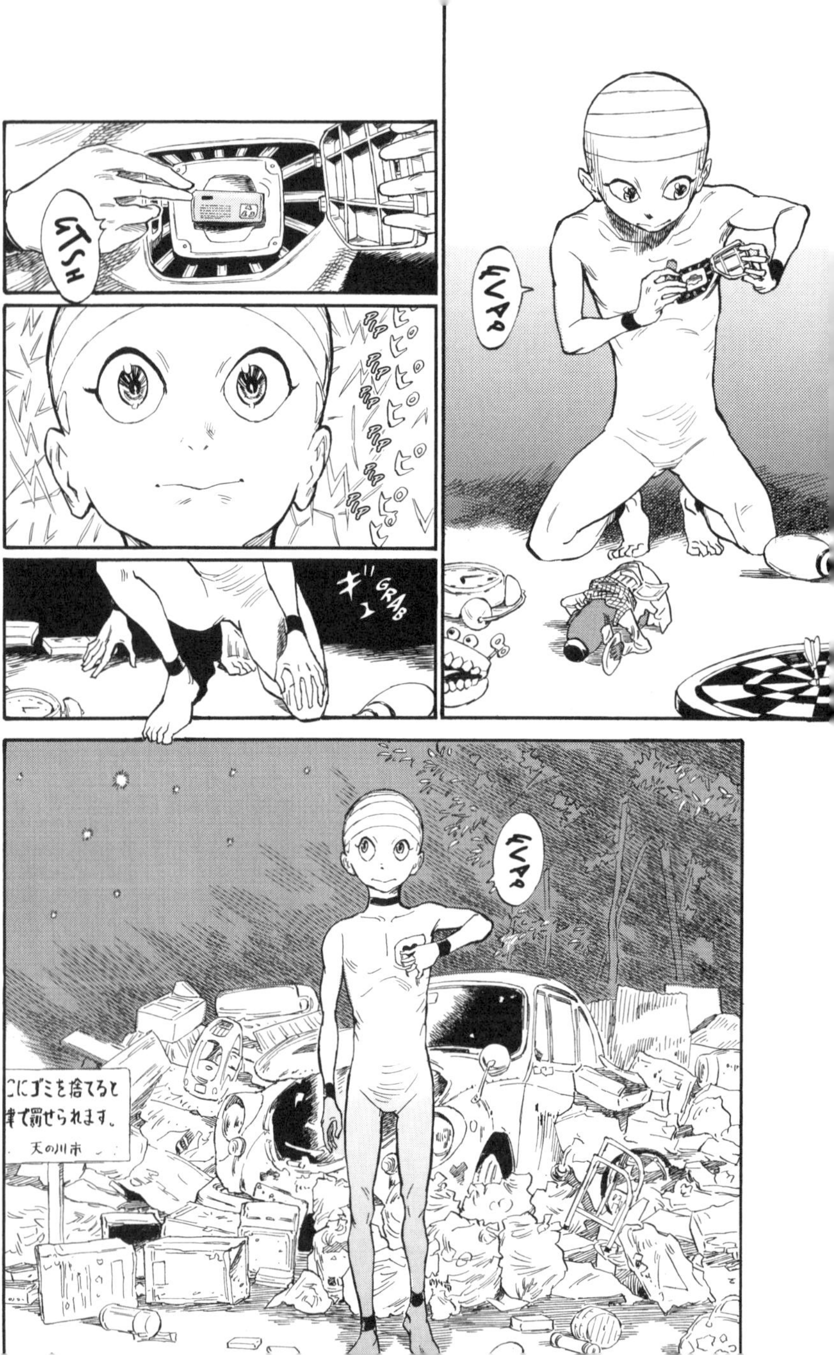

ピ ピ ピ ピ ピ ピ ピ
ギュ GRAB
こにゴミを捨てると
律で罰せられます。
天の川市

TIKI
TIKI
TIKI
MANCANO
1 ORA 10 MIN. 19 SEC.
ALL'ESAURIMENTO
DELLA BATTERIA

ARGH! CHE SPAVENTO!
...
PENSAVO CHISSÀ COSA, E INVECE...
SEI UN ROBOT?
CHE CI FAI, ROBOT...
... IN UN POSTO SIMILE?
TIKI TIKI TIKI
VUOLE DIVENTARE IL MIO PADRONE?

MA CHE DICI, ROBOT?
IO SONO VENUTO QUI PER SUICIDARMI.
EH?
IN EFFETTI...
SIGNIFICATO DEL VOCABOLO [SUICIDARSI] METTERE FINE ALLA PROPRIA VITA. [SIN.] UCCIDERSI
TIKI TIKI TIKI
HO INTENZIONE DI MORIRE IMPICCATO.
MI CERCHERESTI UN ALBERO ADATTO?
PENSI DI RIUSCIRCI, ROTTAME?
MMH...
I ROBOT LAVORANO PER GLI ESSERI UMANI, GIUSTO?

GLOOOOOM
OH!
GRAN BELLA PIANTA!
UHM... UHM...
UHM... UHM...
ECCO!
EHI, ROBOT!
L'ULTIMO BICCHIERE!
FAMMI COMPAGNIA!
SAI, IL VECCHIO QUI NON HA NESSUN POSTO DOVE ANDARE...

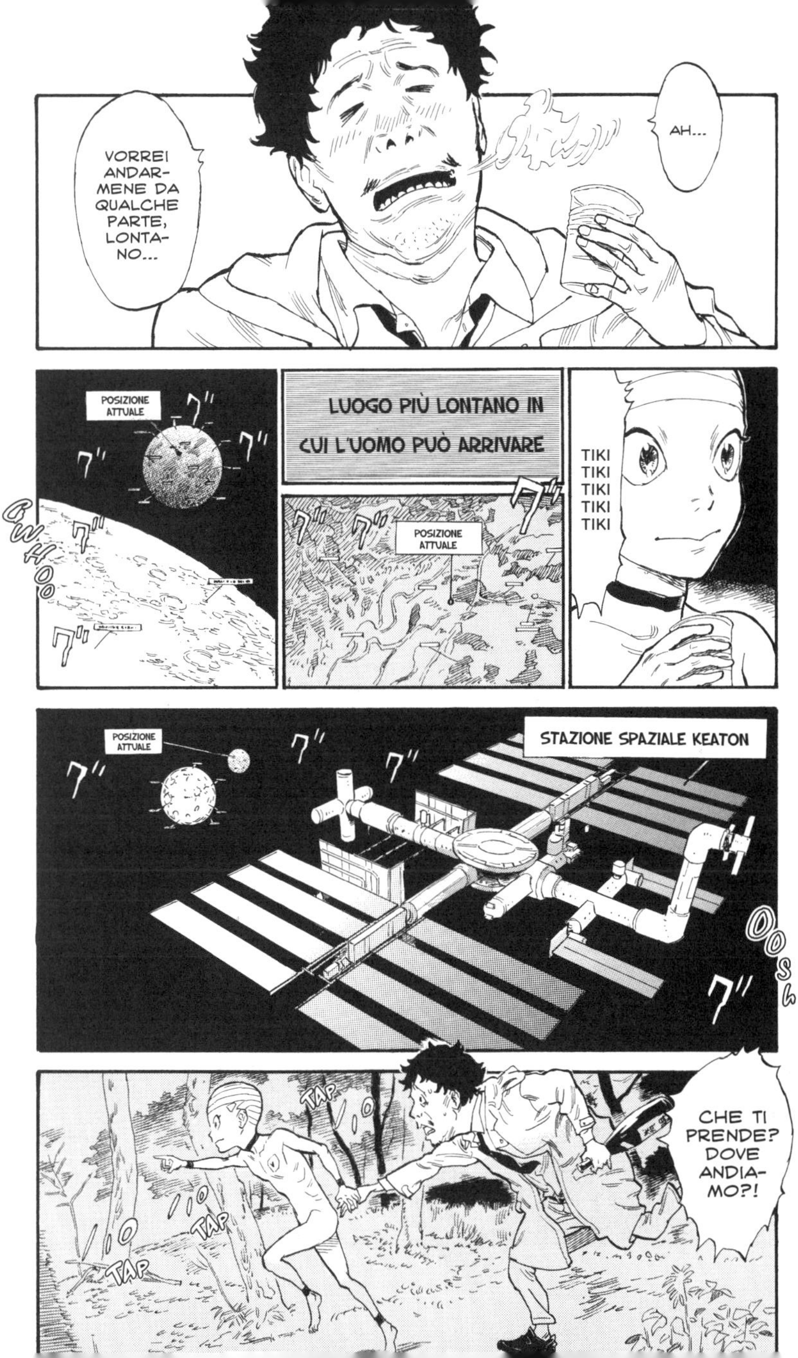

AH...
VORREI ANDARMENE DA QUALCHE PARTE, LONTANO...
TIKI TIKI TIKI TIKI TIKI
LUOGO PIÙ LONTANO IN CUI L'UOMO PUÒ ARRIVARE
POSIZIONE ATTUALE
POSIZIONE ATTUALE
STAZIONE SPAZIALE KEATON
POSIZIONE ATTUALE
CHE TI PRENDE? DOVE ANDIAMO?!
TAP
TAP
TAP

MA SEI SCEMO?
MICA VOGLIO SPARIRE.
SIGNORE, DOVE LA PORTO?
EH?
EHM...
DEVO FARE UN BISOGNINO...
NON SCAPPI, EH!
LE LASCIO IN CUSTODIA IL ROBOT.
DAAAASH

QUEL CRETINO NON TORNA!
IL TUO PADRONE SE L'È SVIGNATA, PORCO CAZZO!
CI VUOLE UN BEL FEGATO A VOLERSI FARE UN GIRO GRATIS!
EH?!
ROBOT, TU HAI DELLA GRANA, VERO?
TERME BOING
TIKI TIKI TIKI
DENARO IN POSSESSO
0 YEN
VUOL DIVENTARE IL MIO PADRONE?
IDIOTA!
WHAM
CHI CAZZO LA VUOLE UNA SANGUISUGA COME TE?!
RIESCO A STENTO A BADARE A ME STESSO!
VIENI QUI!
NON STARE SEDUTO SUL SEDILE! CHI CREDI DI ESSERE?!

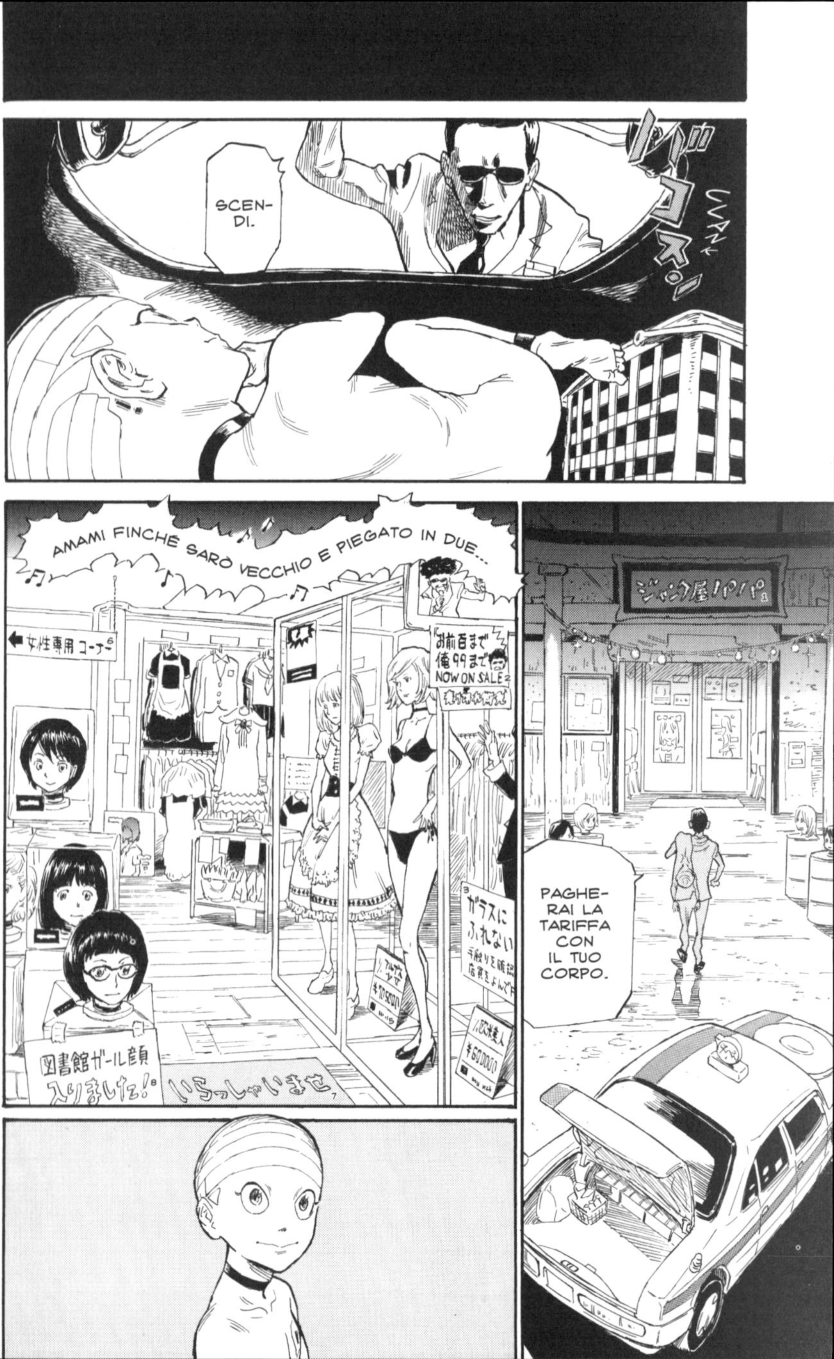

1. JUNK PAPA 2. IO CAMPO 100 ANNI. TU NE CAMPI 99. NOW ON SALE. 3. NON TOCCARE IL VETRO, RIVOLGERSI AL PERSONALE. 4. BELLEZZA OCCIDENTALE. 5. FANCIULLA ALPINA. 6. SETTORE PER DONNE. 7. BENVENUTI. 8. SONO ARRIVATE LE TESTE DA BIBLIOTECARIA!

1.UMANOIDE MOD. 91
2.SETTORE PER DONNE.
3.PARRUCCHE. 4.OCCHI.

TAC
UFF ...
ALLORA?
LA MIA RAPIDITÀ TECNICA È DEGNA DI UN VERO GENIO!
ANCHE OGGI HO BATTUTO IL MIO RECORD!
UHM?
FOR SALE ¥500,000
FOR SALE ¥500,000

1. UMANOIDE MOD. 91. 2. MATSURI. 3. WAITER. 4. BOY.

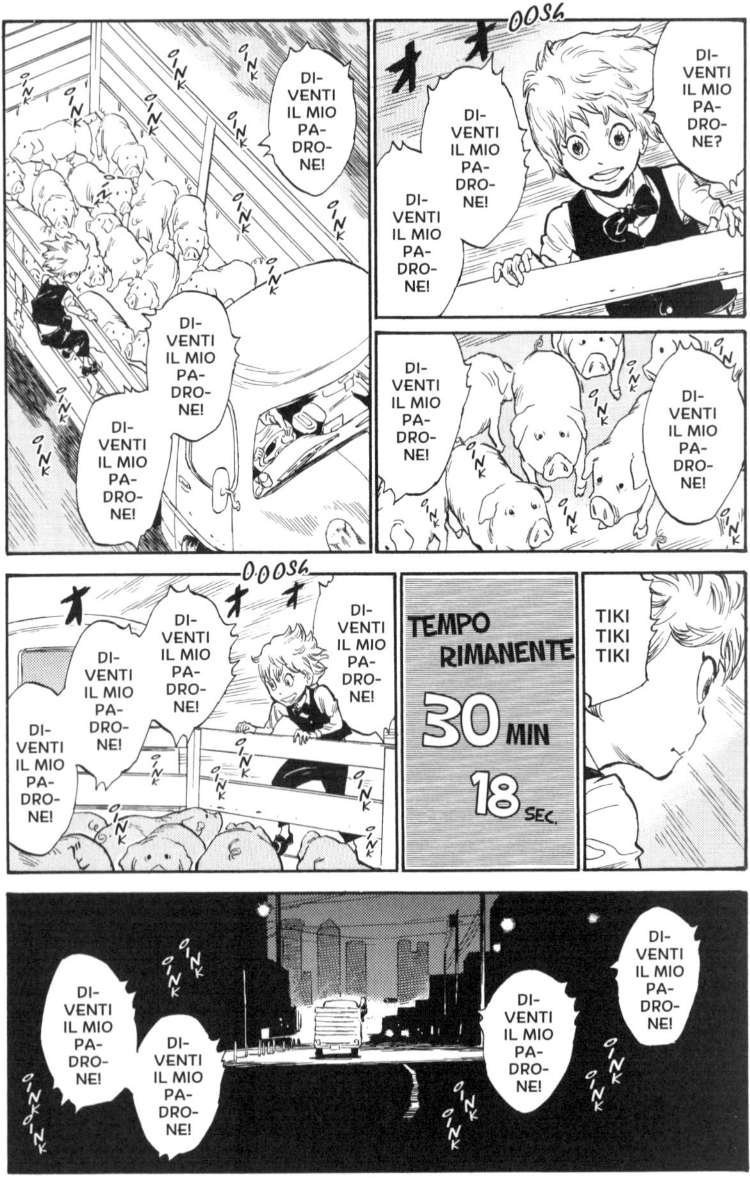
OOSh
DI-VENTI IL MIO PA-DRO-NE?
DI-VENTI IL MIO PA-DRO-NE!
DI-VENTI IL MIO PA-DRO-NE!
OINK
DI-VENTI IL MIO PA-DRO-NE!
DI-VENTI IL MIO PA-DRO-NE!
DI-VENTI IL MIO PA-DRO-NE!
OINK
DI-VENTI IL MIO PA-DRO-NE!
DI-VENTI IL MIO PA-DRO-NE!
OINK
TIKI TIKI TIKI
TEMPO RIMANENTE
30 MIN
18 SEC.
O.OOSh
DI-VENTI IL MIO PA-DRO-NE!
DI-VENTI IL MIO PA-DRO-NE!
DI-VENTI IL MIO PA-DRO-NE!
DI-VENTI IL MIO PA-DRO-NE!
OINK
DI-VENTI IL MIO PA-DRO-NE!
DI-VENTI IL MIO PA-DRO-NE!
DI-VENTI IL MIO PA-DRO-NE!
DI-VENTI IL MIO PA-DRO-NE!
OINK
OINK OINK

WHOOO
BLA BLA BLA BLA
BLA BLA BLA BLA
DI-VENTI IL MIO PA-DRO-NE.

BLA BLA BLA BLA
EHI, TU.
DAMMI DEL VINO.
DIVENTI LA MIA PADRONA.
EHI, UNA BIRRA.
DIVENTI...
WHUM
EHI, TU.
DIVENTO IO IL TUO PADRONE.

CHOMP
CHOMP
LA FESTA STA PER RAGGIUNGERE IL SUO CULMINE.
ECCO DUNQUE L'ATTRAZIONE DELLA SERATA...
PREGO!
WHAM
WHAM
WHAM
IL ROBOT PIÙ POTENTE DEL NOSTRO ESERCITO.
MT LARIGO!

...
CHOMP CHOMP CHOMP CHOMP
GLU
QUAL-CUNO NEL PUBBLI-CO...
... VUOL PROVARE A COM-BATTERE CONTRO DI LUI?
OOOOOO
[COMBATTERE] LOTTARE CONTRO UN RIVALE. CERCARE DI VINCERE CONTRO UN NEMICO
TIKI TIKI TIKI TIKI
OO
HOOOOO

TEMPO RIMANENTE
6 MIN 23 SEC
BDOK
ANCORA
57 SEC.
SBAM
WHOOSH
OH!
1 SEC.
TIKI
TIKI
TIKI
TIKI
TIKI
TIKI
TIKI
TIKI
TIKI

[CALEIDOSCOPIO]
SUSSEGUIRSI DI IMMAGINI
CHOMP
CHOMP
MI PIACE IL TUO ATTEGGIAMENTO ALTRUISTA, ROBOT.
FORZA, MOSTRAMI IL TUO MIGLIOR SORRISO!
ELIMINAZIONE.
BENVENUTO.
SEMBRA UN RAGAZZINO INTELLIGENTE.
ELIMINAZIONE.
CLACK
ALLORA...
CI VEDIAMO NELLA PROSSIMA VITA.
UHM? UN ROBOT...
... NON HA UNA PROSSIMA VITA...
VISTO?
CHE PECCATO!
AH...
CHI PENSAVA CHE UNO COME ME AVESSE ANCORA DEI SOGNI?
A DIRE IL VERO...
ELIMINAZIONE.
ELIMINAZIONE.

GUARDA COM'È CARINO!
ABBIAMO FATTO BENE A SCEGLIERE LUI.
ELIMINAZIONE.

(CAPITOLO 1) FINE

CAPITOLO 2

PARADISO O INFERNO?

TU MI PIACI.
VUOI METTERTI INSIEME A ME?
MAGNIFICO.
...
“MAGNIFICO”?
È UNA ...
... RISPOSTA AFFERMATIVA?
MMM ...

* LA TESTA DI SERPENTE SETTENTRIONALE (CHANNA ARGUS CANTOR) È UN PESCE OSSEO PERCIFORME DELLA FAMIGLIA DEI CHANNIDAE, N.D.T.

MOOOH

MOOOH
SORSEGGIARE TÈ...
... O ANDARE AL CINEMA CON TE DEV'ESSERE STUPENDO, MA...
MOOOH
... NON POSSO METTERMI INSIEME A TE.
EH?
RIP
TAP
TAP
EHM ...

STAI TRANQUILLO. TU SEI UN TIPO IN GAMBA.
EH?
CIAO!
AAH!
EHI!
GTSH
TUTTO A POSTO?
A POSTO!
MA DOVE VAI?!
OVVIO, DALLA CHANNA!
ANDARE IN MOTO È CONTRO IL REGOLAMENTO!
CHIUDI UN OCCHIO, ALLORA!

DUN-
QUE
...
DOVE
SARÀ?
LA LA LA LA
MO MO MO MO
AH,
ECCO-
LO!
WHOM WHOM WHOM WHOM
NO!
I MILI-
TARI!
SE
VOLO
TROPPO
IN ALTO
...
... MI
SGRI-
DE-
RAN-
NO!
WHAM
ANCHE
SE...
... CI
SONO
ABITUA-
TA.
LA LA LA
LU LA LU LA
ALLA
GENTE
PIACE
INCAC-
CHIAR-
SI.

MO
WHOON
WHOON
MO
WHOON
MO
MO
41

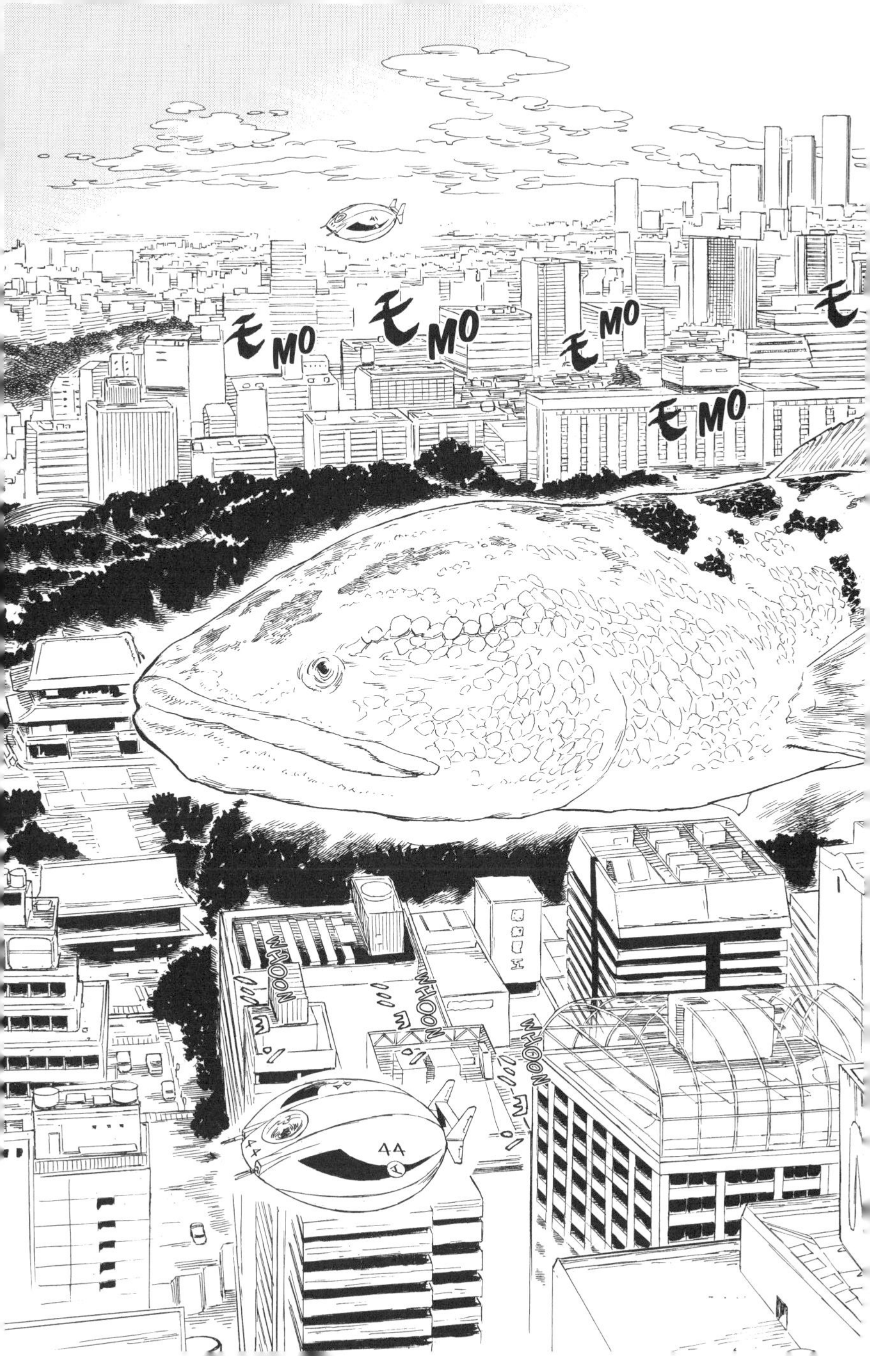
モMO
モMO
モMO
モMO
モ
WHOON
WHOON
WHOON

L'O-BIET-TIVO ...
... SI LIMITA A FLUT-TUARE IN ARIA!
THUD
THUD
THUD
DCH
COSA FA L'E-SERCI-TO?
FA-TELO FUO-RI!
COME SI FA A LA-VORA-RE?
SE NON SBAGLIO, È CADUTO ANCHE TRE ANNI FA!
HA SOLO PERSO IL SUO BRAN-CO.
BLA
AH!
SCU-SATE, PER-MES-SO!
AHI!
MI SCUSI!

* PESCI TROPICALI - ALGHE, ACQUARI, AQUASHOP, PESCI ROSSI.

MI DIA DEL MANGIME PER TESTE DI SERPENTE SPAZIALI.
NON NE AVETE?
VERO?
MA SE NE AVETE...
... PENSAVO DI USARLO PER RIPORTARE IL PESCE NELLO SPAZIO ...
... OPPURE PER ALLONTANARLO DALLA CITTÀ E CATTURARLO.
MMM ...
BASTEREBBE ANCHE SOLO ALLONTANARLO DALLA CITTÀ.

DAAN
E COSÌ DI-CEN-DO...
... FARLO SCIVO-LARE VIA "FLUP FLUP FLUP", A NUOTO...
E POI ...
ZAN
COSÌ!
NONNINO, SE HA DEL MANGIME PER TESTE DI SERPEN-TE SPAZIALI, ME NE VEN-DE UN PO'?

E QUESTO SAREBBE IL LORO MANGIME?
ME LO HA DATO GRATIS ...
UHM
COSÌ È QUESTO CHE MANGIANO...
SURREALE.
DUNQUE.
MO MO MO
30
区域内
浮遊車
区域内
PRIMA "DAAN" E POI "FLUP FLUP FLUP"!
...
CHISSÀ COME MAI QUEL VECCHIO SI È FIDATO DI UNA COME ME.
NON CI POSSO CREDERE!
EHI, TU!
È VIETATO VOLARE!
CHE INTENDI FARE?!
AH! SI È ALZATA IN VOLO! DEFICIENTE!
NORMALE, NO?
SNAP
DOPO DEVO ANDARE A RINGRAZIARLO.

WOW!
COME SONO IN ALTO!
LU LA
LU LA
LU LA
EHI, TU IN MOTO! FERMATI!
WHOON
WHOON
WHOON
WHOON
FERMATI, O TI PRENDERAI CENTO SCULACCIATE!
MO
MO
SCULACCIATE? DI NUOVO?
MO
MO
MO
NIENT'ALTRO DA PROPORRE?

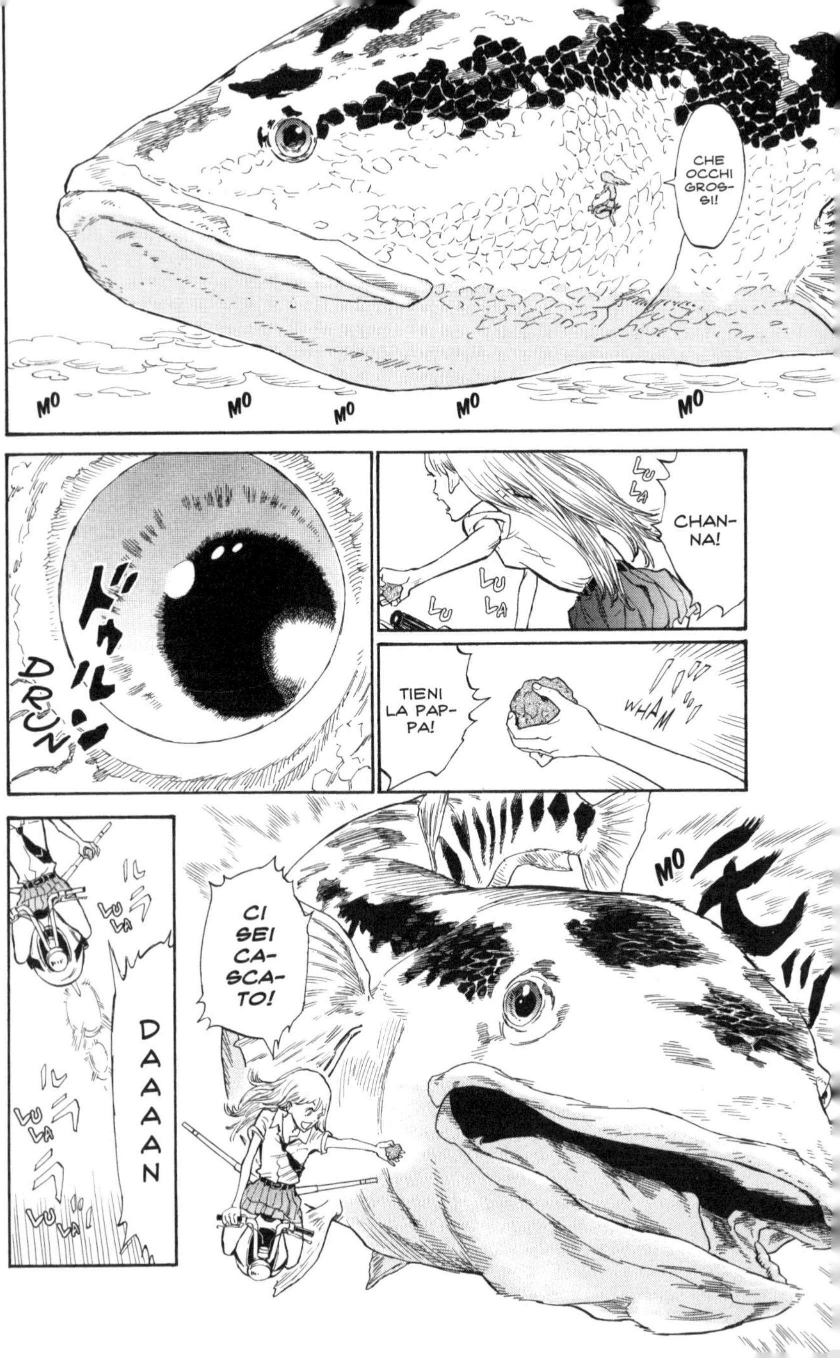
CHE OCCHI GROS-SI!
MO
MO
MO
MO
MO
DRUN
ドゥル
LU LA
CHAN-NA!
LU LA
LU
TIENI LA PAP-PA!
WHAM
MO
CI SEI CA-SCA-TO!
DAAAAN
LU LA
LU LA
LU LA

MO
MO
MO
MO
MO
MO
WAH!
ISSA!
LA
FLUP!
FLUP!
FLUP!
MO
MO
MO
DI QUA!
MO MO MO
ECCO-LO! EC-COLO!
LA
MO
MO
MO

GRAAAAA
DEVI ESSERE MOLTO AF-FAMATO!
VIENI QUI CHIAN-NA!
LU LA LU LA LU
GULP
EH?
È NOT-TE?
ZOT
FLASH
MI È CADUTO IL MAN-GIME DEL PE-SCE.

AH ...
IO SONO DIVENTATA IL CIBO...
DENTRO ALLA PANCIA DEL PESCE ...
... GUARDA UN PO'...
UHM?
MA ...
MMM ...
È UN PO' UMIDO, MA...
... I BENI DI PRIMA NECESSITÀ NON MANCANO.
...
C'È NESSUNO?

MO
MO
MO
...
DOOM
PAC PAC PAC
DOOM
MONI MONI
AH!
NON È IL CASO DI PERDERE TEMPO...
DUNQUE...
PAC PAC
DOVREI RIUSCIRE A SCAPPARE.
...
GNIK
MMM ...

CHISSÀ PERCHÉ, MA QUI...
... MI SENTO...
... UN SACCO A MIO AGIO.
...
SE FUGGISSI NELLO SPAZIO INSIEME ALLA CHANNA...
... NESSUNO SI ARRABBIEREBBE CON ME...
... E FORSE VIVREI SERENA.
UHM ...
QUESTO È IL PARADISO?
O L'INFERNO?
WHAM
AH!

INFERNO E PARADISO SONO LUOGHI IN CUI SI VA DOPO LA MORTE.
DUNQUE... FUGA!
CLACK
LA MOTO NON PARTE.
CHE SIA UN PRESAGIO DEL FATTO CHE MORIRÒ?
...
EH?
AH!
MO
EH?

MUOIO! MUOIO!
AAAAAAAAAAA
MUO-VITI!
PAR-TI!
VAI!
DOOM
È PARTIIIIIIITA!
SVAM
RGH!

MATTI-
NO!
AH
...
È
INCRE-
DIBILE,
MA SONO
VIVA.
AAAH,
CHE
FAME!
GROOWL
OH!
律で罰られます。
天の川市
98
27
CHE
ROBA È?
(CAPITOLO 2) FINE

CAPITOLO 3
E POI... E POI...

れます。
市

STUMP
ROLL
FLUMP
EH?
UN RO-
BOT.
SEI UN
ROBOT,
VERO?
ROLL
ROLL
C'È
SOLO
LA TE-
STA?
MMH
...
OOH!

OTTIMO LAVORO!
UHM... UHM... UHM!
UHM... UHM...
QUESTO VA COSÌ...
... E QUELLO VA COSÀ.
UNISCO QUESTO E QUEST'ALTRO...
BZZ BZZ
E POI...
... LA BATTERIA...
FRRR
AH! AH!
QUESTA È UNA MONTAGNA DI TESORI!

CLACK
AL-LO-RA?
ORA DO-VRESTI MUO-VERTI.
VISTO CHE I ROBOT NON MUOIONO MAI...
... SA-REBBE UN PEC-CATO.
PROVA AD AL-ZARTI.

MENO MALE!
SEI TOR-NATO IN VITA!
PROVA A IMI-TARMI.
AVAN-TI!
TIKI TIKI TIKI TIKI

CHE CARI-NO!
UHM?
UUUUH
WHAM
CHE CARI...
... NO!
SDENG
AHI!

AHI!
UHM?
SWASH
GTSH
GTSH
AH! AH! AH! AH! AH!
EHI, TU, NON COSÌ!
IO NON HO PRESO A CALCI LA SCIMMIETTA!
SBAM
SBAM

DIVENTI LA MIA PA-DRONA!
PER-CHÉ?
UHM?

TIKI
TIKI TIKI TIKI TIKI
UHM?
COS'È QUESTO RUMORE?
TIKI
GNIK
ここにゴミを捨てる
法律で罰せられる
IO...
LAVORERÒ PER LEI.
... QUANDO SI ESAURISCE LA BATTERIA, MI FERMO E LA MIA MEMORIA SI CANCELLA.
IN CAMBIO, LE CHIEDO DI CAMBIARMI SEMPRE LA BATTERIA.
...

EHM ...
DUNQUE ...
EHM... INSOMMA...
BE' ...
SCUSA, MA DECLINO L'OFFERTA.
TROVATI QUALCUN'ALTRO, COME PADRONE.
ALLORA, CIAO.
BYE BYE!

FLIP
TAP TAP TAP
AH!
LA MIA...
...
TAP TAP TAP
NON MI SEGUIRE!
STOP
TI DO QUELLA MOTO.
È SIMPATICA: PUÒ VOLARE IN CIELO. PUOI DIVERTIRTI A CAVALCARLA.
QUINDI SMETTILA DI SEGUIRMI.
TAP
CIAO!
TAP
WHAM
MA CHE RAZZA DI ROMPISCATOLE!

MA CHE RAZZA DI ROMPISCA...
... TOLE!
SMETTILA DI IMITARMI.
SMETTILA...
... DI IMITARMI.
TU PENSI SOLO A TE STESSO!
NON VA BENE!
TU PENSI SOLO A TE STESSO.
NON VA BENE.
NON SONO IO CHE NON VADO BENE!
AH!
...
TU SEI SLANCIATO E SEI CARINO.
GRAZIE.
...

TAP
TAP
TAP
TAP
TAP
UFFA!
TAP
TAP
TAP
NON C'È ALCUNA DIFFERENZA TRA TE E IL CANE...
... CHE AVEVO TEMPO FA!
TAP
TAP
TAP
TAP
TAP
TAP
TAP
TAP
A DIFFERENZA DEI CANI...
... I ROBOT NON MUOIONO, MA...
TAP
TAP
TAP
TAP
... CHE ME NE FACCIO DI UNO CHE NON MUORE...
... E NON CRESCE MAI?
TAP
TAP
ANF...
TAP
ANF...
ANF...
SI SARÀ ARRESO?

TAP
ECCOLO!
ECCOLO DI NUOVO!
TAP
?!
TAP
TAP
TAP
TAP
TAP
ANF...
ANF...
ANF...
ANF...
DACCI UN TAGLIO!
QUANTO SEI INSISTENTE!
?!
SLIP
AH!
SWAAASH
AAAAAH

ANF...
ANF...
ラLA ラLA ラLA ラLA ラLA ラLA
THUM
...
MA SONO BAGNI TERMA-LI!
GRIN

WHAM
SONO TUTTA LERCIA.
MI FACCIO UN BAGNO VELOCE.
...
VOLTATI DI LÀ.
NON SONO LA TUA PADRONA, QUINDI PUOI ANCHE NON OBBEDIRE, MA...
FIX
... NON MI PARE IL CASO...
... CHE TU STIA LÌ A FISSARMI.

AAH ...
BLINK
TIKI TIKI TIKI TIKI TIKI
CHE PECCATO, ROBOT ...
... CHE TU NON POSSA ENTRARE.
RESTA LÌ A GUARDARE.
WHAM

SCE-MO!
MA CHE FAI?!
SHA
TI ROMPE-RAI!
SMET-TILA!
OKAY, MI AR-REN-DO!
SARÒ LA TUA PADRO-NA...
... SE ANDRAI A PREN-DERMI UNA STELLA.

TIKI
TIKI
TIKI
TIKI
TIKI
TIKI
OH?!
OH?
OOOH?
TAP
TAP
TAP
TAP
...
MA
COS...

POLVERE DI STELLE.
LE STELLE SONO PIANETI CHE BRILLANO PICCOLI NEL CIELO.
ANCHE LA TERRA È UN PIANETA.
QUINDI, A SECONDA DELL'INTERPRETAZIONE, ANCHE UN SASSO CHE SI TROVA SULLA SUPERFICIE TERRESTRE ...
... È PARTE DI UNA STELLA.
CHE COSA?
MA COSÌ NON VALE!
SE TI CHIEDO UNA STELLA, ME LA DEVI ANDARE A PRENDERE.
TIKI TIKI TIKI TIKI
SPERAVO FACESSI QUALCOSA DI STUPEFACENTE, INVECE SEI UN CIARLATANO.
SWASH
SEI BOCCIATO!

ANDARE A PRENDERE UNA STELLA...
... È ASSOLUTAMENTE IMPOSSIBILE.
...
FORSE A TE VA BENE CHIUNQUE, COME PADRONE, PURCHÉ TI SOSTITUISCA LA BATTERIA...
... MA PER ME?
PER ME NON C'È ALCUNA RAGIONE PER CUI TU SIA INDISPENSABILE.
QUINDI...
... ANCHE SE È IMPOSSIBILE...
... SE NON VAI A PRENDERMI UNA STELLA...
... MI DISPIACE, MA NON POTRÒ ESSERE LA TUA PADRONA.

E POI...
... NON SI FISSA UNA RAGAZZA CHE SI STA CAMBIANDO.
NON SI FA.
CIAO!
...
BE' ...
ASCOLTA, NON POSSO ESSERETV LA TUA PADRONA, MA...

* IN GIAPPONESE SIGNIFICA "POLVERE DI STELLE", N.D.T.

Nina
CAPITOLO 4
AL DI LÀ DEL MONDO
Hoshikuzu

NINA!
TRE ANNI DOPO ...

TAIHEI!
NINA!
TAP
TAP

TAP
DI QUA!
TAP TAP
TAP
AARGH!
SEI TROPPO VELOCE, NINA!
TAP TAP
TAP TAP
ASPETTAMI!
ANF...
ANF...
ANF...
ANF...
ANF...
MI CHIEDI PERCHÉ FACCIO UNA COSA SIMILE?
PERCHÉ NON POSSO MENTIRE A ME STESSA.
DUNQUE...
I SOLDI PER IL BUS...

SBAM
NON POSSO PIÙ RESISTERE!
SBAM
SBAM
SBAM
CHE VERME!
NON PENSAVO FOSSE COSÌ IDIOTA!
HOSHIKUZU, ANDIAMO!
SCAPPIAMO DI CASA!
EH?
MI CHIEDI PERCHÉ FACCIO UNA COSA SIMILE?
MI PARE OVVIO!
PERCHÉ NON POSSO MENTIRE A ME STESSA.

LEBA
FRUSH
TIKI TIKI TIKI ...
QUAL È LA CAUSA DELLA LITE?
CHE TAIHEI È UN IDIOTA!
AH ...

LO
ODIO!
STA-
VOLTA
LO LA-
SCIO!
ANCHE
SE MI
CHIEDE
SCUSA,
NON LA
PASSA
LISCIA!
NON
LO PER-
DONERÒ
MAI.
MAI!
GNIK
POSSO
FARE
QUAL-
COSA?
NIENTE!
E NON C'È
NULLA CHE
VUOLE CO-
MUNICARE
AL SIGNOR
TAIHEI?
NO!
ALLORA...
CHE IN-
SISTEN-
ZA, HO-
SHIKU-
ZU!
MA
PER-
CHÉ
TI SEI
FIS-
SA-
TO?
È
UNA
QUE-
STIONE
TRA LUI
E ME!

MAESTRA...
UFF
MI DICA COSA POSSO FARE IN QUESTO MOMENTO.
MAESTRA!
EHM ...
PIUTTOSTO... HO FAME.
ANCORA NON SI MANGIA?
FLIP
ALLORA...

DOVREI ANDARE A PRENDERE UNA STELLA?
GRATT
GRATT
SÌ.
MMH...
MMH...
MMH...
UHM...
UHM...
UHM...
TIKI TIKI TIKI
PENSO SIGNIFICHI CHE NON MI PERDONERÀ.
UHM?
TEMPO FA HA DETTO LA STESSA COSA ANCHE A ME.
PER NINA, QUEST'ORDINE È UNA FORMA DI RIFIUTO.

UHM ...
ANDARE A PRENDERE UNA STELLA...
... È ASSOLUTAMENTE IMPOSSIBILE.
MMH ...
NINA HA UN'INDOLE PASSIONALE.
È COMPRENSIBILE, MA...
GRAT GRAT
MA IO PENSAVO DI STARMENE QUI SDRAIATO...
... FINCHÉ LE ACQUE NON SI SARANNO CALMATE.
...
FLIP
PERÒ LE TUE PAROLE MI HANNO FATTO CAMBIARE IDEA, HOSHIKUZU.
HOSHIKUZU!
MAI DIRE...
... MAI!

"NON PERDERÒ MAI."
"NON FALLIRÒ MAI."
"NON LO RESTITUIRÒ MAI."
E POI ...
"NON LO SPOSERÒ MAI."
QUANDO SI DICE MAI...
... DA QUALCHE PARTE C'È SEMPRE UNA FALLA.
PIP
OSSERVATE.
DOPO TRE ANNI DALL'ULTIMA APPARIZIONE, RICOMPARE LA CHANNA.
LIVE
AL MOMENTO SI LIMITA A FLUTTUARE IN ARIA.
ANCHE QUESTA VOLTA È INTERVENUTO L'ESERCITO.
CHISSÀ CON CHE SCOPO È SCESA SULLA TERRA...

* NON METTERE NEL FRIGORIFERO.

MYON
MYON
MYON
MYON
MYON
MO
MO
MO
MO
MO
MO
MO
MO
STON
SWESH
Flip
Flip

DOOM
Flip Flip Flip Flip
È REALE.
TUTTO BENE?
NON TANTO.
SWOOOOSH
NON SOPPORTO I LUOGHI ALTI ALMENO QUANTO I MUSI LUNGHI DI NINA...
SENTI...
ARGH!
NON ME L'ASPETTAVO COSÌ VIOLENTA, LA TESTA DI SERPENTE!
PERÒ...
... PARAGONATO AL SUO "NON POSSO MENTIRE A ME STESSA"...
ECCO IL MIO ASSO!
STONK

CHAN-
NA!
LA
PAPPA!
DAAN
SBRAAAAANG
GNK
GNK
GNK
WHOOSH
DOOM

ZOT
OOOH!
QUESTO SAREBBE L'INTERNO DELLA PANCIA DELLA TESTA DI SERPENTE...
UHM...
È PROPRIO COME LO DESCRIVEVA NINA.
CI SONO TUTTI I BENI DI PRIMA NECESSITÀ
UHM...
DUNQUE, HOSHIKUZU...
D'ORA IN AVANTI...

PER UN PO', IO...
ROLL ROLL
... ME NE STARÒ A DORMIRE.
TIKI TIKI TIKI
COME SI FA...
... A PRENDERE UNA STELLA?
...
UH! UH! UH!
FRUSH FRUSH
BE', SAI...
CON QUESTA!

TIKI ...
TIKI TIKI TIKI TIKI TIKI TIKI TIKI TIKI ...
NO, SCUSA, SCUSA... ERA UNO SCHERZO!
[SCHERZO]
ATTO O DISCORSO FATTO SENZA SERIETÀ O IMPEGNO (SCIOCCHEZZA)
MAH ...
DORMO UN PO' E POI CI PENSO TIKI TIKI ANCHE IO.
QUINDI NON CI HA PENSATO, VERO?

AH...
QUESTO NEGOZIO...
... NON È AFFATTO CAMBIATO.
...
A DIRE IL VERO...
PUÒ DARE UN'OCCHIATA A QUESTO?
A NINA
C'È QUALCOSA CHE VORREI INSEGNARE A HOSHIKUZU, QUINDI SALGO IN GROPPA ALLA CHANNA SPAZIALE E VADO A PRENDERE UNA STELLA. STA' TRANQUILLA!
TAIHEI
MAGARI LEI NON NE SA NULLA, MA...
...
... FORSE I DUE SONO PASSATI DI QUA...

QUELL'ESPRESSIONE...
SONO STATI QUI, VERO?
A PRENDERE IL MANGIME DELLA TESTA DI SERPENTE SPAZIALE!
UHM ...
CHISSÀ COS'HA IN MENTE...
...
UHM ...
NON MI RESTA CHE ASPETTARE.
SCUSI IL DISTURBO!
ASPETTA!
ECCOTI UN CONSIGLIO: OGNI NOTTE, QUANDO TI CORICHI...
... LASCIA UN BICCHIERE D'ACQUA VICINO AL CUSCINO.

TRE ANNI DOPO...
RATTLE RATTLE RATTLE RATTLE
BAU BAU BAU
GRAA GRAA GRAA
UHM?
GWHOOSH
GWHOO
UHM?
OOSH
RATTLE RATTLE RATTLE RATTLE

ゴゴゴ
CRICK
BDSH
GWHOOSH
?!
WAAH!
AHI!
COSA
COSA
COSA
?!
GLU
GLU
GLU
GWHOOSH
CALMATI, CALMATI...
EHM... DUNQUE...
...
UFF!
AH!

ゴゴゴゴゴ
GWHOOSH

OOOOH!
ゴゴ
MO
MO
MO

モ MO
モ MO
モ MO
モ MO
モ MO
ANF ...
WHAM
ANF ...
HUGAH!
HUGAH! HUGAH!
HUGAH!
WHAM
TIKI TIKI TIKI.
WHAM
CHI VOLA, PRIMA O POI CADE.
HU-GAH?
WHAM
HU-GAH! HU-GAH! HU-GAH!
WHAM
SÌ!
WHAM

HUUUGA
AAAH!!
AAAH!
WHAM
WHAM
LE BA
LE BA
LE BA
LE BA
LE BA
MARITI-NO!
HO-SHIKU-ZU!
SALTATE SU!
LE BA

(CAPITOLO 4) FINE

CAPITOLO 5
LAVORARE...
LAVORARE...

PEEEP
CHE FAI?
PEEEP
...
PESCO ...
...
VE BA VE BA VE BA
ABBOCCANO?
PER NIENTE.

VA' A LAVORARE, IDIOTA!
VISTO CHE TU, MARITO, SEI UN INETTO, IO SONO COSTRETTA A LAVORARE E A MANTENERTI!
E IN PIÙ TU TE NE STAI A BIGHELLONARE!
GUARDA CHE STARE ASSORTO A PESCARE NON TI FA MICA GUADAGNARE!
HU-GAH!
AL MONDO QUEL CHE CONTA SONO I SOLDI!
LAVORERÒ IO.
TSK.
TU NON TI PREOCCUPARE, HOSHIKUZU.
IO VADO.
A DOPO!

CHE SONNO!
UHM
MA TU SAI CHE SIGNIFICA LAVORARE, HOSHIKUZU?
[LAVORARE]
ESERCITARE UN'ATTIVITÀ FISICA O INTELLETTUALE. OFFRIRE UNA PRESTAZIONE PROFESSIONALE IN CAMBIO DI DENARO.
ECCO.
TI SBAGLI.

E ALLORA COSA VUOL DIRE LAVORARE?
...
VUOI SAPERLO, HOSHIKUZU?
CHI CADE NELLA TRAPPOLA?
TU.
SÌ.
ZACK
ZACK
RAGAZZO...
ORA TE NE FACCIO UNA PAZZESCA!
UH! UH! UH!
LAVORARE...
... SIGNIFICA VERSARE IL PROPRIO SUDORE!
CLANG

ANF ...
ANF ...
ANF ...
ANF ...
ANF ...
ANF ...
ANF ...
ANF ...
BWAH!
FORSE ABBIAMO SCAVATO UN PO' TROP-PO...
PAZ-ZE-SCA!
QUE-STO È LAVO-RA-RE?

AL-LO-RA?
COME TI SENTI, DOPO AVER LAVORA-TO?
MA IO NON HO SUDA-TO.
ERA UNA META-FORA!
I ROBOT NON SU-DANO, È OVVIO!
PAT
PAT
A DIRE IL VERO IO NON HO MAI LAVORA-TO, QUIN-DI NON SAPREI.
MA PENSO SIA PIÙ O MENO COSÌ.
VOGLIO LAVORA-RE DI PIÙ.
EH?!
I ROBOT NASCONO PER LAVORA-RE E SERVIRE GLI UMANI.
MMH ...
BE-NE!
ANDIAMO A DARE UN'OC-CHIATA DOVE LAVORA NINA, CHE DICI?

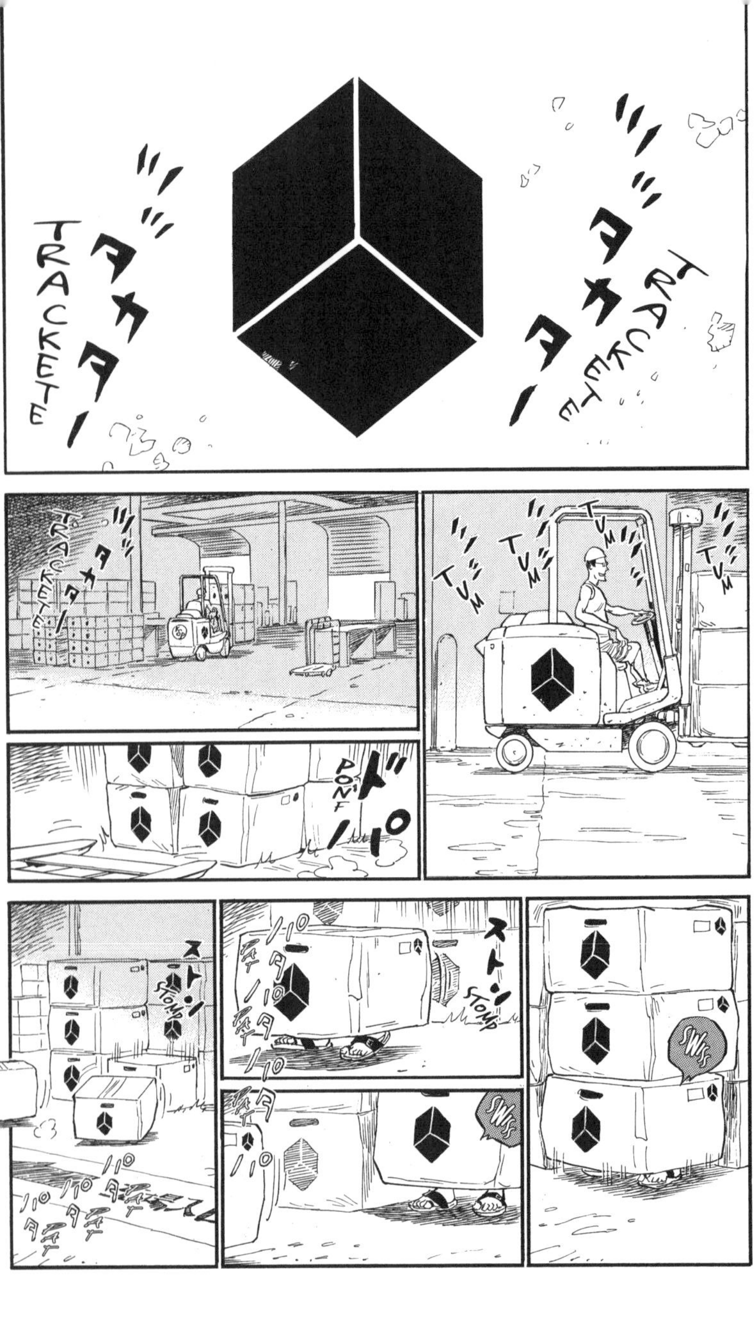
TRACKETE
TRACKETE
TRACKETE
TUM
TUM
TUM
TUM
PONF
STOMP
STOMP
SWISS
SWISS

SENTA, TAIHEI ...
SSH!
STOP
...
I POSTI COME QUESTO ...
... SONO PIENI DI GENTE CHE LAVORA.
SE CHI NON LAVORA CI ENTRA SENZA PERMESSO...
... VIENE VISTO COME UN NEMICO...
... E VIENE ATTACCATO.
CAPITO?!
SÌ!

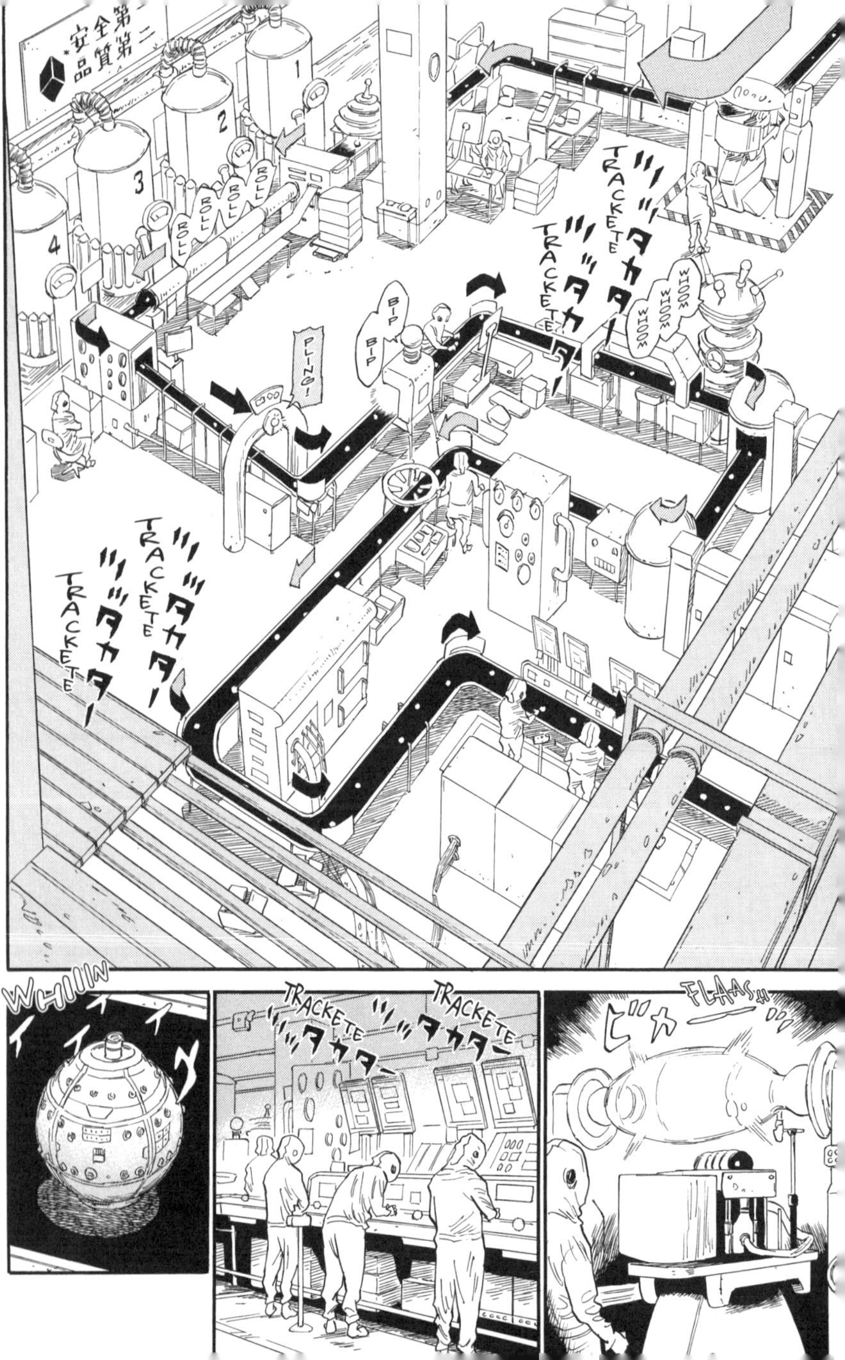

* SICUREZZA E QUALITÀ

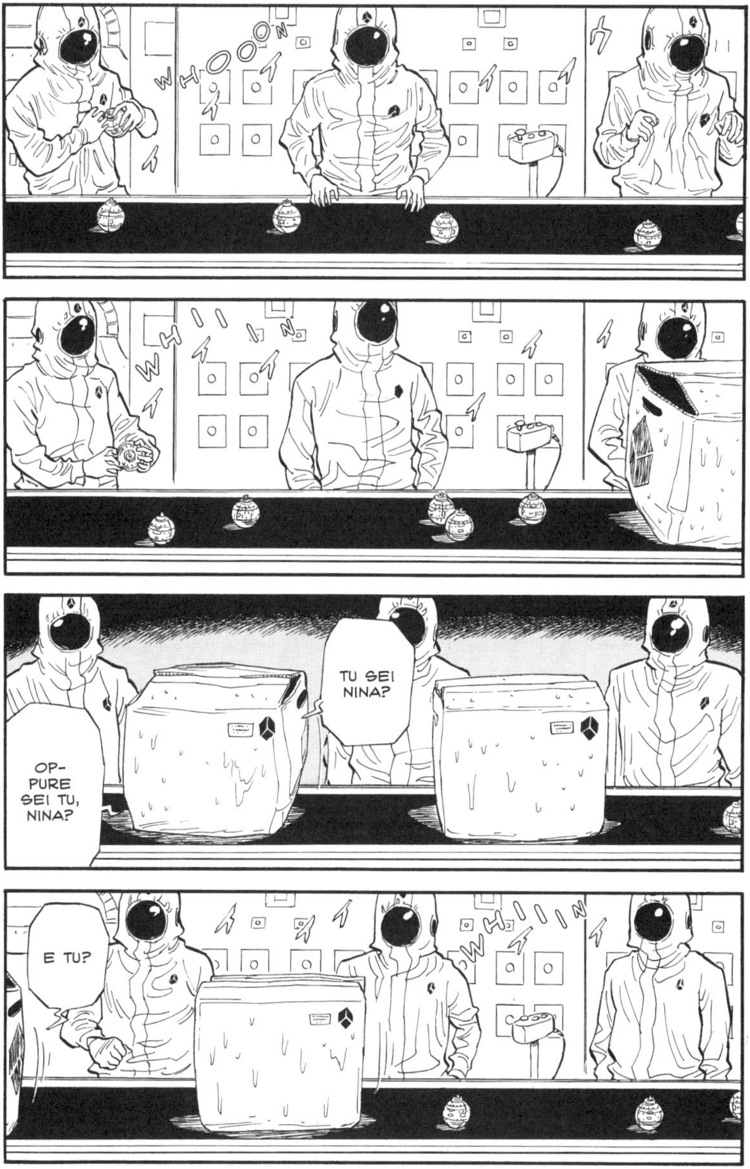
WHOOON
WHIIIN
TU SEI NINA?
OP-PURE SEI TU, NINA?
E TU?
WHIIIN

MA CHI SIETE VOI?!
NON SI CAPISCE NIENTE!
CHE LAVORO FATE?
CHE COSA COSTRUITE?
AAAH! AIUTO!
A-AARGH!
PENSAVO DI MORIRE!
WHAM
EHI, SCUSA... TU!
NON VEDI CHE È PERICOLOSO?!
ZUM
CHIAMAMI IL TUO RESPONSABILE! AVANTI!
IL RESPONSABILE SONO IO.
DAAN
CHAK
EH?
...
PARDON!
FLIP

NON TI MUOVERE.
CHAK
OKAY.
FLUP
FLUP
CHI SEI TU?
SEI BAGNATO FRADICIO.
FLUP
...
FLUP
NOI SIAMO SOLAMENTE...
... IN VISITA ALL'IMPIANTO INDUSTRIALE!
ALLORA DOVETE INDOSSARE ABITI DA LAVORO COME QUESTI.
EH?
A PROPOSITO... MA TU SEI SOLO?
EH?
MA COME? HOSHIKUZU?

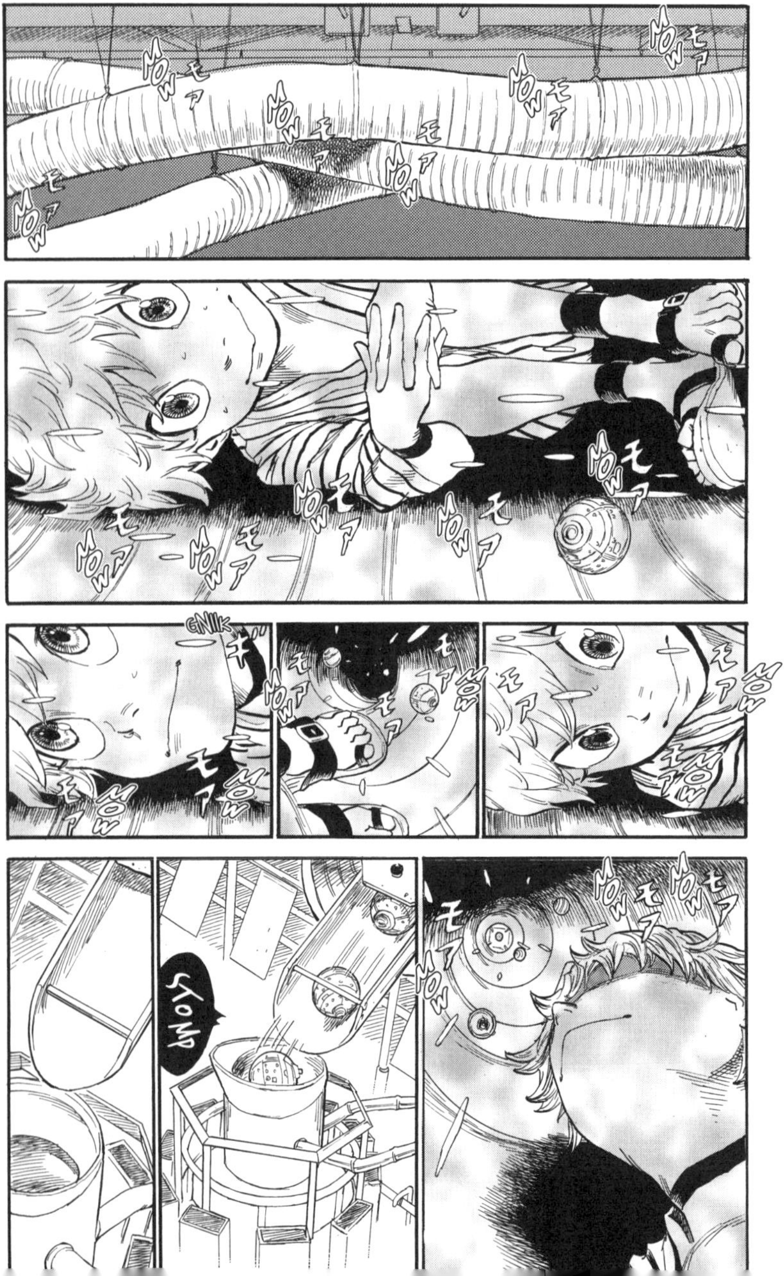
MOW モア
MOW モア
MOW モア
MOW モア
MOW モア
MOW モア
MOW モア
MOW モア
MOW モア
MOW モア
MOW モア
MOW モア
MOW モア
MOW モア
MOW モア
MOW モア
MOW モア
GNIK ギ
MOW モア
MOW モア
STOMP
MOW モア
MOW モア
MOW モア

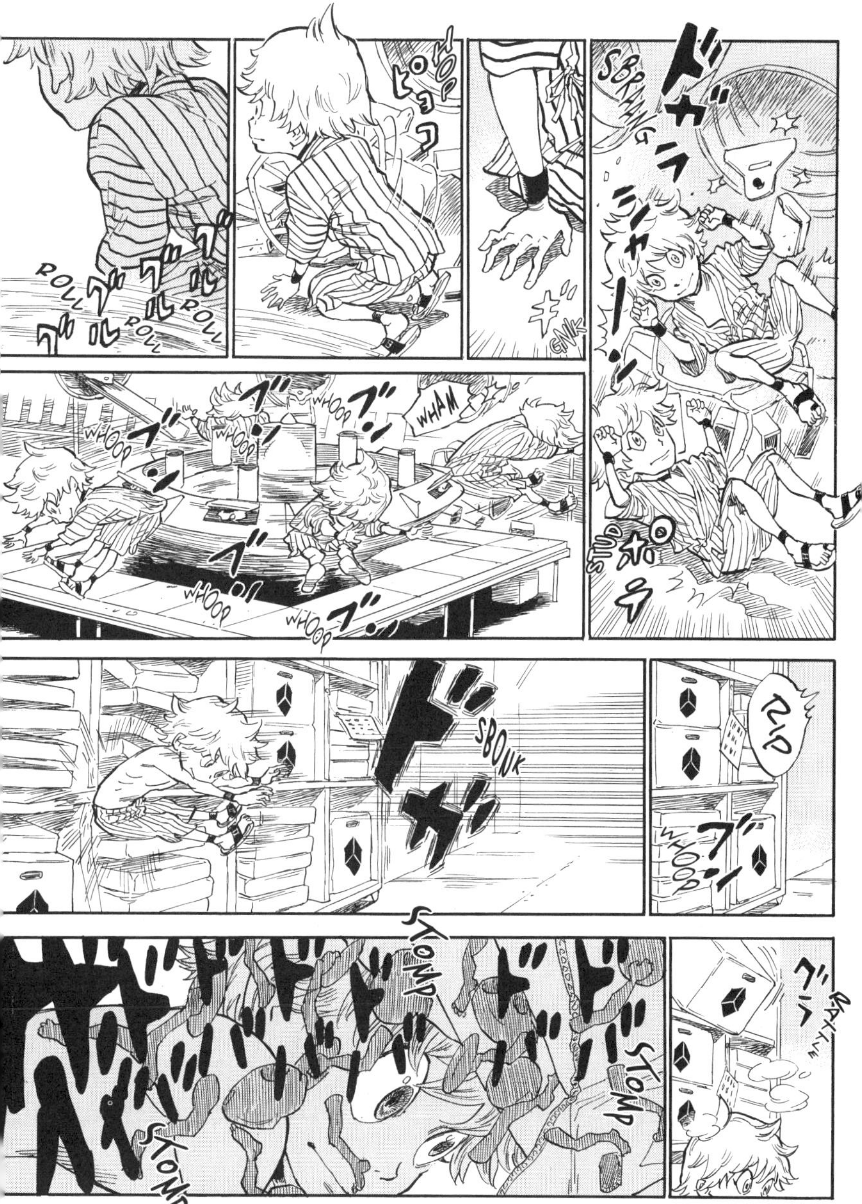

SBRANG
ドガラ
ラシャーン
GNK
ギ
WHOOP
ピョコ
ROLL
ROLL
ROLL
ゴロゴロ
WHAM
WHOOP
WHOOP
WHOOP
WHOOP
WHOOP
ブン
STUD
ポテ
RIP
WHOOP
SBOUK
ドガ
RATTLE
グラ
STOMP
STOMP
STOMP
STOMP

ROLL ROLL ROLL ROLL ROLL

TIKI TIKI TIKI TIKI
RICERCA IN CORSO
TIKI TIKI TIKI TIKI
TIKI TIKI TIKI TIKI
WHAM
6 ANNI PRIMA 15 LUGLIO 15:28
LA SCIMMIA A CUI HO DATO UN CALCIO...

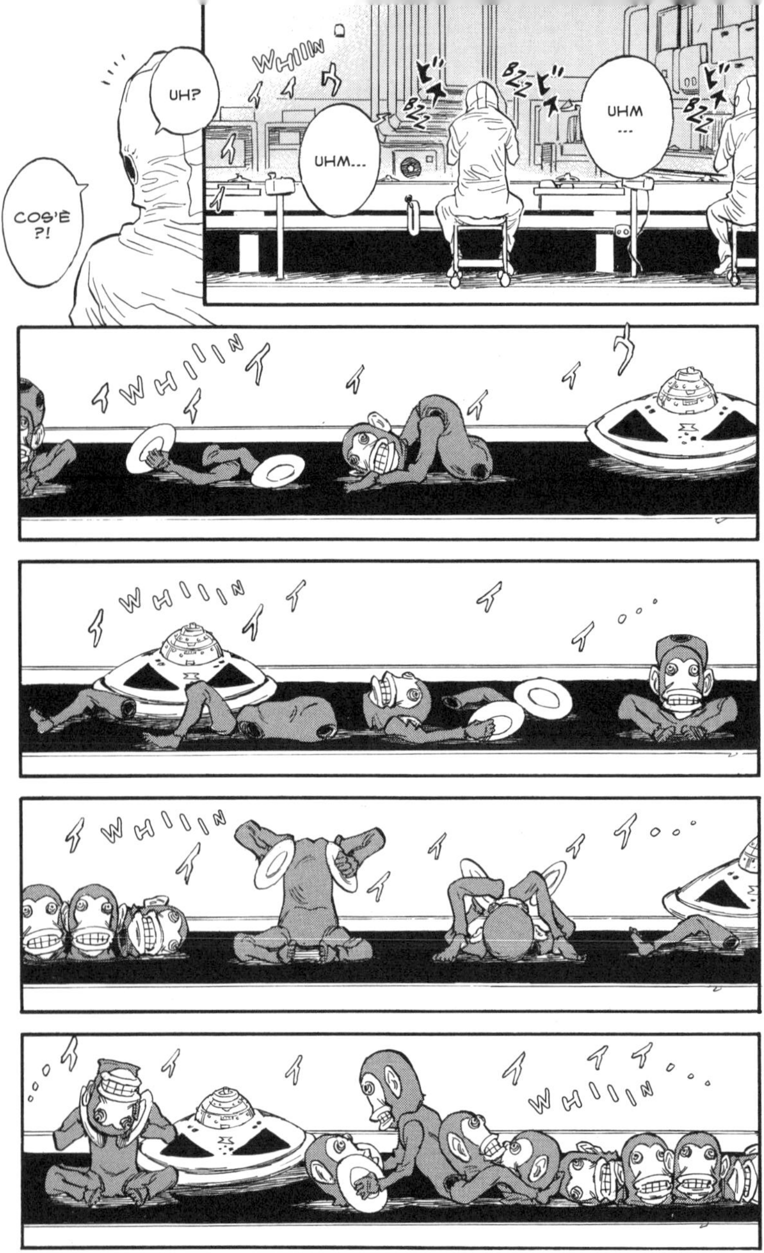

BZZZ
UHM
...
BZZZ
UHM...
WHIIIN
UH?
COS'È
?!
WHIIIIN
WHIIIIN
WHIIIIN
WHIIIIN

SBAM
AVETE PER CASO VISTO DA QUESTE PARTI IL MIO HOSHIKUZU?
?!
HO-SHIKU-ZU? INTENDI IL MIO HO-SHIKU-ZU?
ZWIP
AH! LA TUA VOCE ...
COSA? LA TUA VOCE... POS-SIBILE CHE TU SIA...
... MARITI-NO?!
NINA?!
MA COSA DIA-VOLO CI FAI QUI?!
BZZ
BZZ
BZZ
AHI!
DAI, SUVVIA...
E TU CHI SEI?
IO SONO IL TUO SUPE-RIORE!
CHAK
NON PUN-TARMI CON-TRO LA SPA-RA-CHIO-DI!
CAL-MA-TEVI.
QUINDI AVRAI TEMPO PER ARRAB-BIARTI DOPO.
ORA È ESSEN-ZIALE CERCARE HOSHIKU-ZU!

チャキ
CHAK
チャキ
CHAK
チャキ
CHAK
チャキ
CHAK
チャキ
CHAK
WHIIIN
イイイイ
チャキ
CHAK
PIP
...

FINITO!
STAVOLTA È VENUTO BENE.
MENO MALE!
FLAP
HOSHIKUZU...
NINA!
ANCHE SE SEI UN ROBOT, NON SEI COSTRETTO A LAVORARE!
TU SEI UN MEMBRO DELLA FAMIGLIA!
CI PENSO IO A BADARE A TE, HOSHIKUZU!

CHIUDI IL BECCO, VECCHIA ARPIA!
FLAP
COS ...
FLUFF
CHIMP
CHIMP
SBAM
NON SONO STATO IO.
VEC-CHIA AR-PIA?
CHE ROBA È?!
...
AS-SUR-DO.

AFRO-NEET.
AVIDA SANGUI-SUGA.
EMOR-ROIDEO.
CHIMP
CHIMP
CHIMP
CHIMP
AVIDA SAN-GUI-SUGA ...
SCU-SATE-LO.
CHIMP CHIMP
IO SONO LA VOCE INTERIORE DI HO-SHIKUZU.
EH?!

(CAPITOLO 5) FINE

CAPITOLO 6
SCINTILLAAAANTE!

SERIE 70!
SERIE 70!
753 ...
753 ...
750 ...
750 ...
IL NUMERO VINCENTE È SERIE 70, 753750!
* LOTTERIA
70組
753750

PECCATO.
DEL RESTO ...
... MICA SI PUÒ VINCERE CON UN BIGLIETTO DELLA LOTTERIA COMPRATO PER PURO CASO...
MI RIPETI UN'ALTRA VOLTA IL NUMERO VINCENTE?
SERIE 70...
753750.
HUM, HUM, HUM ...
HUM, HUM ...
HUM?

* CIRCA 2 MILIONI DI EURO, N.D.T.

SBOUNK
GNK
TUTTO A POSTO?
QUANDO LA GENTE È FELICE, SVIENE!
STIIING
AH, MI BRUCIA IL NASO!
COMMOZIONE CEREBRALE?
AAAHI!
CHE FACCIO, HOSHIKUZU?
HO VINTO ALLA LOTTERIA.
ORA CHE FACCIO?!
HUG
INIZIAMO A CORRERE, HOSHIKUZU!
SÌ!

GELAAAA
DOPOTUTTO, SONO 300 MILIONI.
DOBBIAMO BALLARE PER FESTEGGIARE!
ANF ANF
HOSHIKUZU, NE VUOI UN PO'?
IO NON POSSO MANGIARE.
YUP YUP YUP
È VERO.
TU SEI UN ROBOT.
SPLAT
AH!
ANCHE IL GELATO È SVENUTO PER LA FELICITÀ!
CHE DICI?
EH! EH! EH!

* SUSHI GALATTICO. ** ANDROMEDA.

HOP
CHE COSA?!
ISSA
UGH!
THUD
HAI DETTO 300 MILIONI?!
STIIING
SÌ.

QUINDI PER UN PO' NON CI SARÀ BISOGNO DI LAVORARE!
È GRANDIOSO!
SWISS
IO VOGLIO VEDERLI TUTTI! IN CONTANTI!
DAAN
COME ?!
IO ME NE STARÒ SDRAIATO O A PESCARE.
CIAO!
AH AH AH AH
SÌ.
NINA, SI TRATTA DI 300 MILIONI. PUOI FARCI QUELLO CHE TI PARE!
OKAY, IO VADO.
TAP TAP TAP
AH AH AH

AM 7~PM 7
Except With permit
108 BANK
PEEEP
ANF!
ANF!
ANF!
ROLL ROLL ROLL ROLL
DOVE L'APRIAMO?
ROLL ROLL ROLL
DOVE L'APRIAMO?
宝くじ*
DOVE ...
SMILE
...
QUI NON POSSIAMO...
CI AMMAZZANO.
ROLL ROLL ROLL

* LOTTERIA

FLAP
WOW!
OOOH! IN CONTANTI!
300 MILIONI!
...
WHOP
VOGLIO COMPRARMI QUALCOSA ...
BONK
QUALCOSA DI SCINTILLANTE!
SONO SOLDI TUOI, FACCI QUELLO CHE VUOI!
GIÀ!
E CHE CI COMPRI?
MMH ...

È UNO ZAFFIRO.
COM'È BLU!
QUESTO È UN CRISTALLO.
COM'È SPIGOLOSO!
QUESTO È GRANATO.
COM'È ROSSO ROSSO!
ECCO UN CAT'S EYE.
SEMBRA PROPRIO UN OCCHIO DI GATTO!
TURCHESE.
È UNA PIETRA TURCA!
ONICE NERA.
COM'È NERA!
SMERALDO.
È VERDE SMERALDO!
...
MI SCUSI...
VORREI...
QUALCOSA DI PIÙ SCINTILLANTE...
MI PERDONI, MA...
... QUAL È IL SUO BUDGET?

300 MILIONI.
ZUN
ズン
OH!
AH ...
MI PERDONI!
ALLORA COSA NE DICE DI QUESTA?
È DAVVERO SCINTILLANTE!
OH... COM'È SCINTILLANTE!
SONO TUTTI DIAMANTI. LA PROVI PURE.
COME LE SEMBRA?
DUNQUE ...
MICA DEVO FARE UN REGALO ALLA REGINA...
ALLORA SONO SPIACENTE, MA NON POSSIAMO ACCONTENTARLA...

UFFA...
PROPRIO ORA CHE VOGLIO COMPRARMI QUALCOSA...
... POSSIBILE CHE NON CI SIA NULLA DI SCINTILLANTE?
COM'È QUALCOSA DI SCINTILLANTE?
UH! UH! UH!
GUARDA QUI.
COS'È QUELLO?

È UN ANELLO. ME LO HA REGALATO IL MARITINO A UNA FIERA.
PROPRIO LUI.
GUARDA.
È SCINTILLANTE, NO?
TIKI TIKI TIKI TIKI
È UN GIOCATTOLO!
SCIOCCO!
LO SO BENISSIMO!
PERÒ LO VEDI? BRILLA PIÙ DI QUELLI VERI!
UHM?
PIP PIP

ECCO!
WHAM
È QUESTO!
BOING
SO COSA VOGLIO COMPRARE!
CORRI!
SÌ.
ROLL ROLL ROLL
EH?
WHIIIN
COMPRATO.

COS'È?
UN DISPOSITIVO ULTRA-ANTI-GRAVITAZIONALE!
DA 300 MILIONI DI YEN!
SAI ...
... PUÒ SOLLEVARE IN ARIA UN PESO DI 1 MILIONE DI TONNELLATE.
SBRANG
BRANG
EHI, NINA ...
'STA COSA LA NASCONDE...
... QUINDI NON RIESCI A VEDERE LA MIA FACCIA SCONVOLTA, VERO?
COSA CI SI SOLLEVA?
TAP
TAP
UH ...
QUELLA COSA CHE MI HAI PRESO CON IL MARITTINO...
VOGLIO TRASLOCARE LÌ.
È IL MIO REGALO... PER VOI DUE.
REGALO?
...

IL SUO NOME È...
ISOLA HO-SHIKU-ZUU-UU!

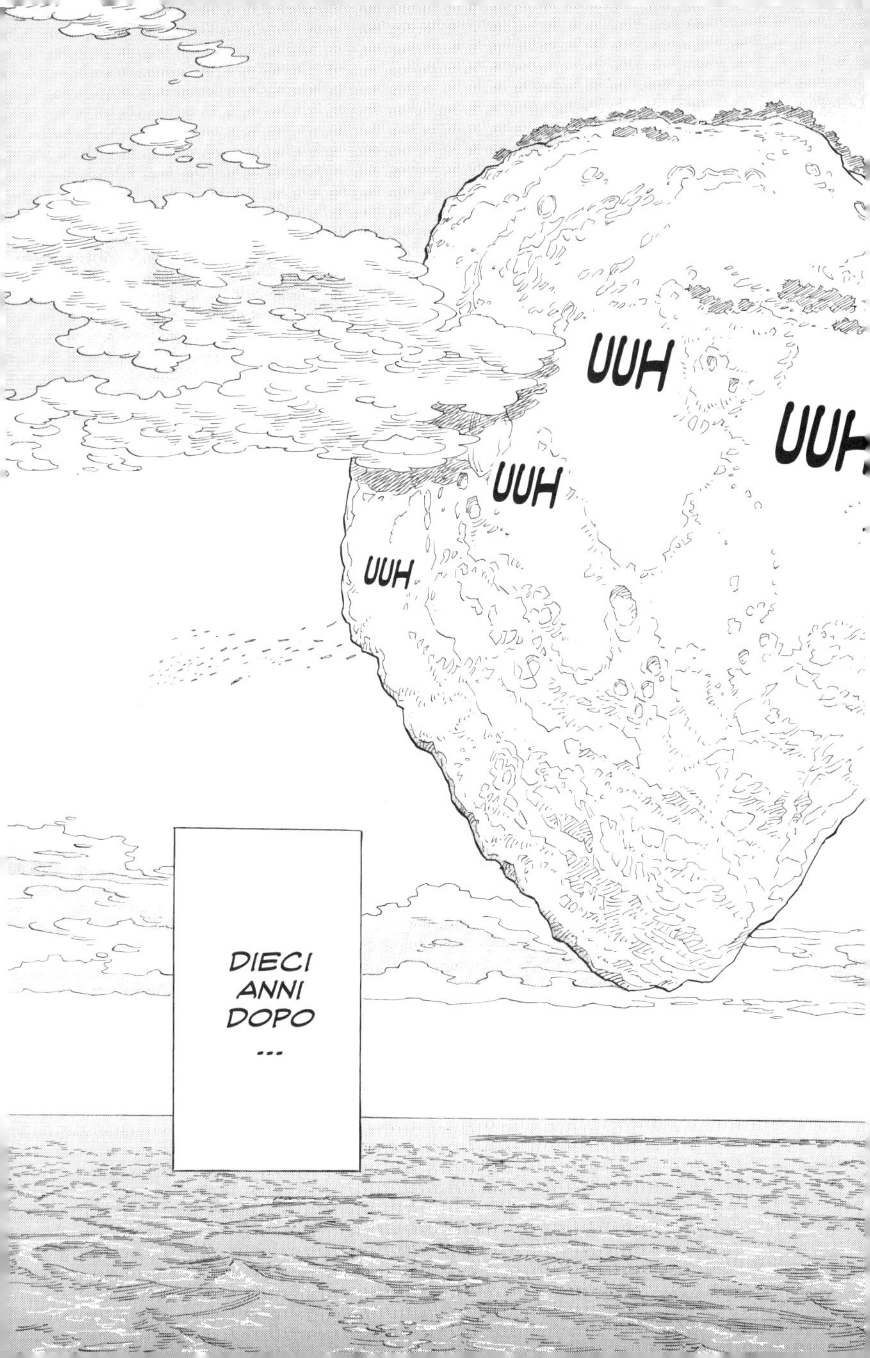
UUH
UUH
UUH
UUH
DIECI ANNI DOPO ...

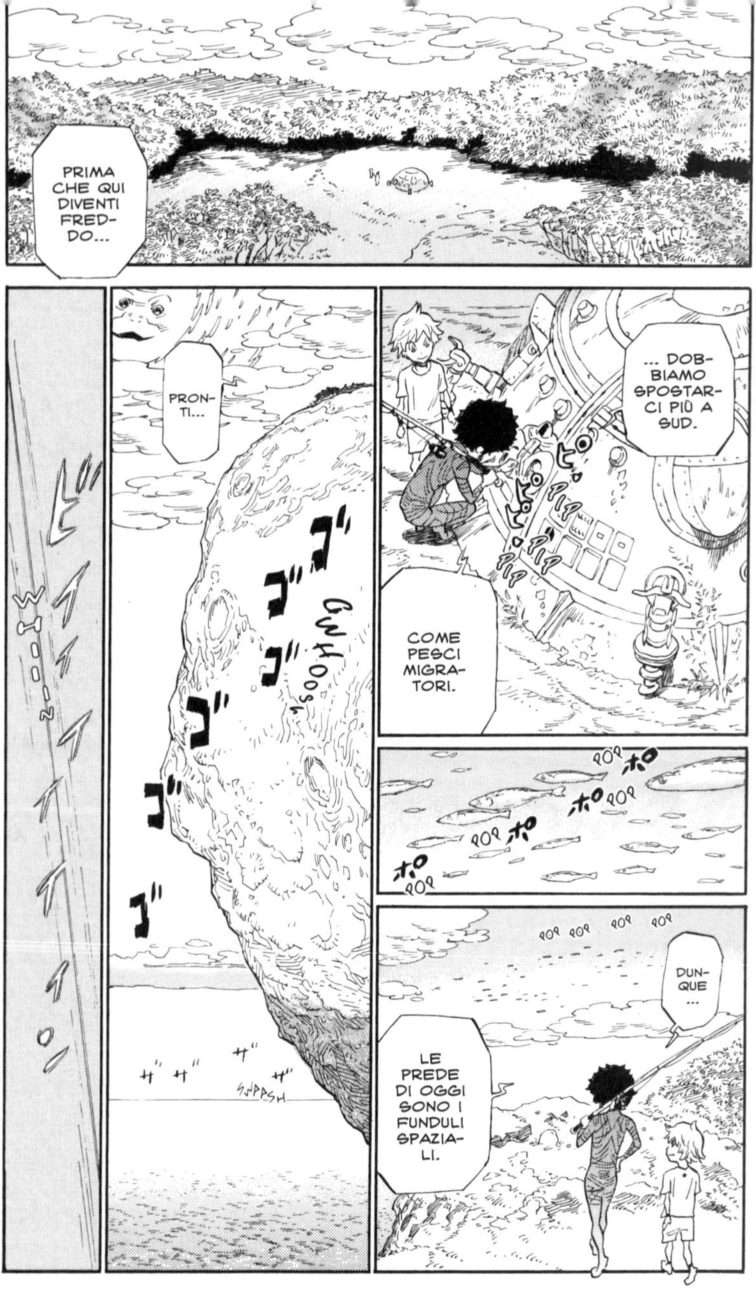
PRIMA CHE QUI DIVENTI FRED-DO...
... DOB-BIAMO SPOSTAR-CI PIÙ A SUD.
PIP PIP PIP
COME PESCI MIGRA-TORI.
POP POP POP
DUN-QUE ...
LE PREDE DI OGGI SONO I FUNDULI SPAZIA-LI.
PRON-TI...
GWHOOSH
SWPPSH

WHIIIN
OPS!
RATTLE
SI È IMPIGLIATO IL FILO ...
PENSACI TU, HOSHIKUZU.
TAP
SÌ.
TAP
TAP
TAP
BENE. SI È LIBERATO!
WHOOP!!
PAT
PAT
PAT
TENGA, TAIHEI.
SI ERA IMPIGLIATA.
COS'È QUESTA COSA CHE BRILLA?

CI SI POTREBBE FARE UN ANELLO.
INDAGA, HOSHIKUZU.
SÌ.
TIKI TIKI TIKI TIKI
LA STRUTTURA CRISTALLINA E LA COMPOSIZIONE CHIMICA...
... INDICANO CHE È UN MINERALE SCONOSCIUTO SULLA TERRA.
MA ALLORA È UNA GRANDE SCOPERTA...
A PROPOSITO, MOLTO TEMPO FA...
... A UNA FIERA, HO REGALATO A NINA UN ANELLO GIOCATTOLO.
TIKI TIKI TIKI TIKI
10 ANNI PRIMA ORE 16 E 14 MIN.
SCIOCCO!
LO SO BENISSIMO!
PERÒ LO VEDI? BRILLA PIÙ DI QUELLI VERI!

ECCO ...
... COSA DISSE NINA MOLTO TEMPO FA.
MA CHE DICI?
QUELLI VERI SONO MOLTO ME-GLIO DEI GIOCATTOLI. È OVVIO!
TIKI
TIKI TIKI TIKI TIKI TIKI
TIKI ...
QUELLO LO HAI TROVATO TU, HO-SHIKUZU.
REGA-LALO TU A NINA.
IN CHE SEN-SO?
COSÌ CAPI-RAI.

SMACK
GRAZIE, HOSHIKUZU!
FELICITÀ! FELICITÀ! FELICITÀ!
RICEVERE DONI È SEMPRE BELLO!
ED È LA PRIMA VOLTA CHE MI FAI UN REGALO, VERO, HOSHIKUZU?
NON SO CHE PIETRA SIA, MA...
... È TUTTA SCINTILLANTE.
(CAPITOLO 6) FINE

CAPITOLO 7
BYE BYE, VAGABONDO

ピョコ
HOP
CIAO.
CHIMP

ギ
GNIK
ギギ
GNIK
E ORA CHE HAI INTENZIONE DI FARE?
TIKI
TIKI TIKI TIKI
RESTERÒ SEMPRE QUI.
IO SONO LIBERO.
IO NON TI CONSIDERO COME IL MIO PADRONE.
PERCHÉ NON TI LIBERI ANCHE TU?
GNIK
ギ

太平
NINA
DATO CHE NINA E TAIHEI SONO QUI...
... IO RESTERÒ SEMPRE QUI.
VUOI RIMANERE PER SEMPRE DI LORO PROPRIETÀ?
HAI MANTENUTO LA PROMESSA: LI HAI SEPOLTI IN UN POSTO DA CUI SI VEDE IL MARE.
TIKI TIKI TIKI TIKI
TAIHEI UN ANNO FA, ALLE ORE 3 E 8 MINUTI DI NOTTE...
... E POCO PRIMA, 3 ORE E 17 MINUTI FA...
... ANCHE NINA HA CHIUSO GLI OCCHI E NON SI È PIÙ MOSSA.
CINQUANT'ANNI DOPO...

SONO MORTI DI VECCHIAIA, NO?
GLI UMANI SONO DESTINATI A MORIRE.
PRIMA DI CHIUDERE GLI OCCHI, NINA HA DETTO...
... DI TROVARMI UN ALTRO PADRONE.
E ALLORA FA' COSÌ, NO?
PERÒ NINA E TAIHEI SONO QUI.
NINA
SÌ, MA SONO MORTI.
TIKI TIKI TIKI TIKI
MA SONO ANCORA VIVI...
... NELLA MIA MEMORIA.

CHIMP CHIMP CHIMP
NON CAPISCI PRO-PRIO?!
TI SI ESAU-RIRÀ LA BAT-TERIA E MORIRAI ANCHE TU!
I ROBOT NON MUOIO-NO MAI.
PERCHÉ TU E IO SIA-MO COSTRU-ITI IN MODO DIVERSO.
TU SEI LI-BERO.
VIVI PURE COME MEGLIO CREDI.
IO RE-STERÒ QUI.
ADDIO.
FARÒ COSÌ!
CHIMP CHIMP

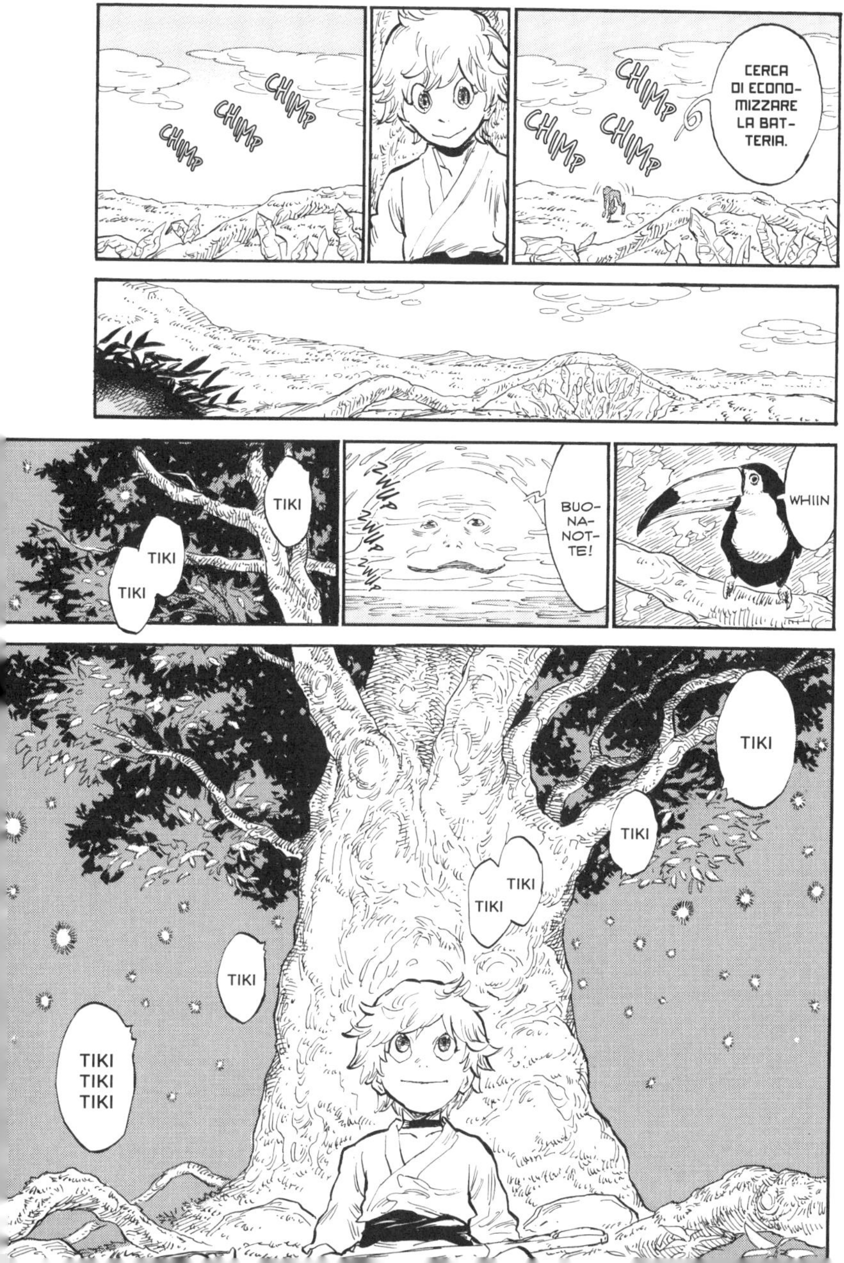
CHIMP
CHIMP
CERCA DI ECONO-MIZZARE LA BAT-TERIA.
CHIMP
CHIMP
CHIMP
CHIMP
WHIIN
BUO-NA-NOT-TE!
ZWUP
ZWUP
ZWUP
TIKI
TIKI
TIKI
TIKI
TIKI
TIKI
TIKI
TIKI
TIKI TIKI TIKI

TIKI TIKI
TIKI TIKI
TIKI
TIKI
TIKI
TIKI TIKI
TIKI
TIKI
TIKI TIKI
TIKI TIKI
TIKI
TIKI
TIKI TIKI
TIKI
TIKI
TIKI
TIKI
TIKI
TIKI
TIKI

QUESTA MEMORIA APPARTIE-NE A ME.
E RESTERÀ MIA PER SEMPRE.
I DATI DI QUAN-DO HO IN-CONTRATO NINA PER LA PRIMA VOLTA...
NINA
太平
QUELLI DI QUANDO PESCA-VO CON TAIHEI...
... SONO TUTTI MIEI.
ALTRI SETTE ANNI DOPO...

TIKI
TIKI
TIKI
TIKI
TIKI
UARGH!
GH!
GRAB
BZZ?
ZZZZ?!
THUD
ZZZZ

AH!
ORA CAPISCO...
FRUSH
FINALMENTE HO COMPRESO IL SIGNIFICATO DELLE SUE PAROLE.
FLOP
GNIK
AH.

BUON-
GIOR-
NO.
ARGH!
TAP
TAP
TAP
UNA
BAT-
TERIA
...

WHAM
RIP
MI DIA UNA BATTERIA!
ALTRIMENTI...
... NINA MORIRÀ!
WHAM
DI QUESTO PASSO LA MEMORIA DI NINA E TAIHEI SVANIRÀ!
NINA MORIRÀ UNA SECONDA VOLTA!
WHAM

SWAM
SWAM
SWAM
SWAM
WHOOOM
THUD
DI QUA.
DRIT-TO, DRIT-TO!
UN PO' A SINI-STRA.
ANZI, NO. DE-STRA.
DAL TUO PUN-TO DI VISTA È DE-STRA.
FRUP
FRUP
SÌ, LÌ.
RESTA LÌ E ALLUN-GA UNA MANO.
WHAP
GNIK
SWAM
SWAM
SWAM

TAP TAP
CORRENDO...
... CONSUMERÒ...
... TANTA BATTERIA!
TIKI TIKI TIKI
TAP
RESTANO
1 ORA
3 MIN. 15 SEC.
TAP
MUMBLE...
TAP
DEVO TROVARE QUEL TIZIO DI PRIMA...
... E FARMI DARE UNA BATTERIA.
TAP
NOTTE!

FRIII
FRIII
FRIII
FRIII
FRIII
GNIK
FRIII
FRIII
L'HO PERSO DI VISTA.
TIKI TIKI TIKI TIKI TIKI TIKI
TIKI TIKI TIKI TIKI TIKI TIKI
FRUP

UN MODO PER OTTENERE UNA BATTERIA È SERVIRE UN NUOVO PADRONE, MA...
... LE PROBABILITÀ CHE LUI VOGLIA ESSERE IL MIO NUOVO PADRONE SONO BASSE.
E POI NON È DETTO CHE MI DIA SUBITO LA BATTERIA...
POSSIBILE CHE NON CI SIA...
... UN ALTRO MODO PER AVERE AL PIÙ PRESTO LE PILE?
DOVE TROVO DELLE BATTERIE?
DOVE TROVO DELLE BATTERIE?
TIKI TIKI TIKI
IN QUEL POSTO FORSE CE NE SONO ANCORA ...
NINA...

...
È UNO SPETTRO.
UNO SPETTRO! UNO SPETTRO!
È UNO SPETTRO...
UNO SPETTRO...
ZASH
PERCHÉ TUTTE A ME?
PERCHÉ CAPITANO SEMPRE TUTTE A ME?
ZASH
MA CHE VUOLE DA ME?
SAPPI CHE...
... IO QUI NON CI ENTRERÒ MAI!

TONK
TONK
GNIK
GNIK
GNIK
MA CHE POSTO È?
QUESTO POSTO METTE I BRIVIDI.
NON CI ARRIVA NEPPURE LA CORRENTE...
POSSIBILE CHE CI ABITASSE QUALCUNO?
SCREEK
CHI DIAVOLO AVRÀ MAI POTUTO VIVERCI?
SCREEK
DAVVERO...
OH?
INTERESSANTE...
LA BATTERIA NON SARÀ MICA ESAURITA?
INSOMMA...
MA CHI DIAVOLO...
CHE IMPRESSIONE...
TONK

SCREEK
...
COSA VUOI?
POSSO SAPERLO?
MI DIA UNA BATTERIA.
WHAM
AAAH!

PA-PA-PA-PA-PA!
PAAA!
PER FAVORE!
PA-PA!
LAVORERÒ!
PA-PA-PA!
FLAP
FLAP
FLAP
BATTERIA!
MI DIA UNA BATTERIA!
FLAP
WHAM
GASP!
PA-PA-PA-PA-PA!
PA-PA!
FLAP
FLAP
SWAM
SWAM
SWAM
DAAN
CLACK
AH...
AH...
AH...

UN RO-BOT?!
FLAP
GRAZIE MILLE.
SONO RIUSCITO A FARE IN TEMPO.
NINA? MA CHI È?
CO-SA?
MI SCUSI.
NON C'ERA ALTRO MODO PER SALVARE NINA...
TIKI TIKI TIKI ...

PIP
PIIIP
CON PERMESSO...
C...
CHE FAI?
WHAM
76 ANNI FA, ORE 7 E 14 MIN.
SNAP
NINA DISSE...
... "TU PENSI SOLO A TE STESSO!"
"NON VA BENE!"
WHAM
!?
ECCO NINA, ALL'EPOCA.
76 ANNI FA AM 7:14

(CAPITOLO 7) FINE

CONTINUA

NINA STARDUST

Satoshi Fukushima

1

JPOP è una collana di
Edizioni BD srl
via Moncucco 20/22
20142 Milano
www.edizionibd.it
info@edizionibd.it

Marco Schiavone - **CEO**
Tito Faraci - **Editor in Chief**
Giorgio Cantù - **Art Director**
Jacopo Costa Buranelli, Andrea Ferrari - **Line Editor**
Giovanni Marinovich - **Graphic Designer**
Matteo de Marzo - **Production Assistant**

Traduzione di
Asuka Ozumi

Hanno collaborato
Monica Manzoni
Giulia Morganti
Bianca Pistillo
Carlotta Spiga

Stampa
Grafiche Ambert
Verolengo (TO)

Special Thanks
Chigusa Ogino
Kaoru Morimura
Alice Itoh
Keisuke Taguchi

ISBN: 9788866344247